OCTAVE
ET LE CACHALOT

Scénario
David Chauvel

Dessin et couleur
Alfred

Remerciements à Jean-Baptiste Andreae

Une bise à Yann et Servanne.
Alfred

Pour Cheryl.
David Chauvel

Merci à Thomas.
Alfred & David Chauvel

──────────────── série complète ────────────────

Tome 1
Octave et le cachalot

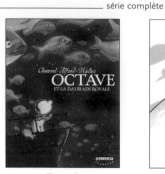
Tome 2
Octave et la daurade royale

Tome 3
Octave et le manchot papou

Tome 4
Octave et le fou de Bassan

Des mêmes auteurs, chez le même éditeur :
• *Daho - L'homme qui chante*
• *Paroles sans papiers* - collectif

Du même dessinateur, chez le même éditeur :
• *Abraxas* (deux volumes) - scénario de Corbeyran
• *Capitaine Fripouille* - scénario de Ka
• *Come Prima*
• *Le Désespoir du singe* (trois volumes et édition intégrale) - scénario de Peyraud
• *La Digue* - scénario de Corbeyran
• *Donjon Crépuscule* (tome 110) - scénario de Sfar et Trondheim
• *Italiques*
• *Je mourrai pas gibier* - d'après Guillaume Guéraud
• *Pourquoi j'ai tué Pierre* - scénario de Ka
• *Bob Dylan Revisited* - collectif
• *Premières Fois* - collectif
• *Yannick Noah, traits métis* - collectif

Aux Éditions Casterman :
• *Boulevard des SMS* - avec Brigitte Fontaine

Aux Éditions Charrette :
• *Le Bec dans l'eau*
• *Café Panique* - d'après Roland Topor

Aux Éditions Dargaud :
• *Tranches napolitaines* - avec Sapin, Simon et Vivès

Aux Éditions Dupuis :
• *L'Atelier Mastodonte* (quatre volumes) - avec Trondheim, Tébo, Bianco, Pedrosa, Yoann, Neel, Nob...

Aux Éditions L'Édune :
• *Angie M.* - texte de Rascal
• *B*, collection l'ABéCéDaire
• *Les Contes imbéciles* - texte de Ka
• *Paul Honfleur* - texte de Rascal

Aux Éditions Le Lombard :
• *Le Tatouage* - texte de Jérôme Pierrat

Aux Éditions Milan :
• *Petits Calculs amoureux* - texte de Bernard Friot

Aux Éditions du Rouergue :
• *Le Trou* - texte d'Annie Agopian

Aux Éditions Sarbacane :
• *Bob le raté* - texte de Guillaume Guéraud
• *La Guitare de Django* - texte de Fabrizio Silei
• *La Rage du dragon* - texte de Guillaume Guéraud

Du même scénariste, chez le même éditeur :
• *22* (deux volumes) - coscénario de Le Bellec, dessin de Chavant
• *7 Pistoleros* - coscénario d'Ayala, dessin de Sarchione
• *7 Voleurs* - dessin de Lereculey
• *Arthur* (neuf volumes et éditions intégrales) - dessin de Lereculey
• *Les Aventures spatio-temporelles de Shaolin Moussaka* (trois volumes) - dessin de Pedrosa
• *Le Casse - Soul Man* - dessin de Denys
• *Ce qui est à nous* (dix volumes) - dessin de Le Saëc
• *Les Enragés* (cinq volumes et édition intégrale) - dessin de Le Saëc
• *Flag* - dessin de Le Saëc
• *La Grande Évasion - Fatman* - dessin de Denys
• *L'Île au trésor, de Robert Louis Stevenson* (trois volumes) - dessin de F. Simon
• *Lili & Winker* (deux volumes) - dessin de Boivin
• *Lunatiks* - dessin de Roudaut
• *Mafia Story* (huit volumes) - dessin de Le Saëc
• *Le Magicien d'Oz* (trois volumes et édition intégrale) - dessin de Fernández, d'après L. Frank Baum
• *Nuit noire* (trois volumes et édition intégrale) - dessin de Lereculey
• *Ocean City* (deux volumes) - dessin de Komorowski
• *Pinocchio* - dessin de McBurnie
• *Le Poisson-Clown* (quatre volumes et édition intégrale) - dessin de F. Simon
• *Popotka* (sept volumes) - dessin de F. Simon
• *Quarterback* (quatre volumes) - dessin de Kerfriden
• *Rails* (quatre volumes et édition intégrale) - dessin de F. Simon
• *Ring Circus* (quatre volumes et édition intégrale) - dessin de Pedrosa
• *Le Sabre et l'Épée* (quatre volumes) - dessin de Boivin
• *Séraphin et les animaux de la forêt* - dessin de Lereculey
• *Station debout* - dessin d'Ehretsmann
• *Trois Allumettes* - dessin de Boivin
• *Wollodrïn* (huit volumes) - dessin de Lereculey
• *La Bande à Renaud* - collectif

Aux Éditions Dargaud :
• *WW2.2* (tomes 1 et 7) - dessin de Henninot et Boivin

Aux Éditions Drugstore :
• *Alice au pays des merveilles* - dessin de Collette

Aux Éditions Dupuis :
• *Brigade fantôme* (deux volumes) - dessin de Pedrosa

Aux Éditions Glénat :
• *Alexandre - L'épopée* - coscénario de Le Galli, dessin de Java
• *Black Mary* (trois volumes) - dessin de Fagès

Le blog d'Alfred :
alfredcircus.blogspot.com

Dépôt légal : février 2003. ISBN : 978-2-84055-937-5

Conception graphique : Trait pour Trait

Loi n° 49-956 du 16 juillet 1949
sur les publications destinées à la jeunesse

Achevé d'imprimer et relié en janvier 2018
sur les presses de l'imprimerie PPO, à Palaiseau, France

www.editions-delcourt.fr

OCTAVE N'AIMAIT PAS LA MER.

J'AIME PAS LA MER.

C'EST FROID, C'EST MOUILLÉ ET ÇA SENT MAUVAIS.

ET IL NE SE BAIGNAIT JAMAIS.

NAN! JAMAIS!

1.

IL HABITAIT UNE PETITE MAISON DE PÊCHEUR, TOUT SEUL AVEC SA MAMAN.

MA MAMAN À MOI!

SUR SON ÎLE QUI S'APPELAIT L'ÎLE D'AVEL, C'ÉTAIT LA DERNIÈRE MAISON À L'OUEST.

OUI, MAIS C'EST LA PLUS JOLIE!

COMME C'ÉTAIT LES GRANDES VACANCES, IL Y AVAIT PLEIN DE GENS SUR L'ÎLE.

PFF! DES TOURISTES!

DES GENS QUI ALLAIENT TOUS LES JOURS À LA PLAGE ET QUI SE BAIGNAIENT.

MAIS PAS MOI!!

2.

OCTAVE! À TABLE!!

BON, IL VA ÊTRE L'HEURE D'ALLER AU LIT, JEUNE HOMME.

DÉJÀ ? NON ! JE VEUX PAS Y ALLER ! J...

OCTAVE...

3.

LA MAMAN D'OCTAVE VENAIT DE FAIRE SA TÊTE DE "C'EST PAS LE MOMENT DE M'EMBÊTER

ALORS IL MONTA DANS SA CHAMBRE ET ATTENDIT QU'ELLE VIENNE LUI DIRE BONNE NUIT EN JOUANT AVEC SA COLLECTION DE MONSTRES.

LE LENDEMAIN, IL PLEUVAIT À GROSSES GOUTTES ET LA MAMAN D'OCTAVE ÉTAIT PARTIE À SON TRAVAIL.

OCTAVE, QUI NE POUVAIT PAS ALLER JOUER DEHORS, MONTA DANS LE GRENIER ET SE MIT À FOUILLER UN PEU PARTOUT...

4.

AVANT CE JOUR, OCTAVE N'AVAIT JAMAIS OUVERT CE LIVRE ...

5.

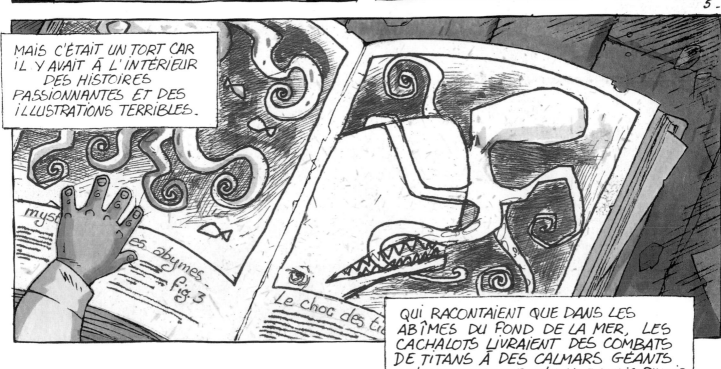

MAIS C'ÉTAIT UN TORT CAR IL Y AVAIT À L'INTÉRIEUR DES HISTOIRES PASSIONNANTES ET DES ILLUSTRATIONS TERRIBLES.

QUI RACONTAIENT QUE DANS LES ABÎMES DU FOND DE LA MER, LES CACHALOTS LIVRAIENT DES COMBATS DE TITANS À DES CALMARS GÉANTS QU'AUCUN HOMME N'AVAIT JAMAIS PU VOIR.

JE SUIS JOJO LE CACHALOT!

ET MOI, NANAR LE CALMAR!

6.

AH! AHA! JE VAIS TE MANGER TOUT CRU!!

NAN! C'EST MOI QUI VAS TE MANGER AVEC MES MEGA TENTACULES!

TIENS,
LE GRAND CACHALOT,
AVALE DONC ÇA!

EST-CE QUE C'EST DU
CALMAR GÉANT?!

BIEN SÛR,
TOUT ROUGE ET
TOUT GLUANT...

JE VIENS
JUSTE DE LE
PÊCHER...

ALLEZ...

MANGE!

CETTE NUIT ÉTAIT CELLE DE LA PLEINE LUNE _

8.

LE VENT ÉTAIT TOMBÉ, LES NUAGES AVAIENT DÉCAMPÉ ET ELLE BRILLAIT FORT, BIEN RONDE ET BIEN BLANCHE SUR L'ÎLE D'AVEL.

DANS SON LIT, OCTAVE DORMAIT PROFONDÉMENT.

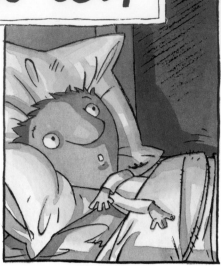

Réveille-toi !

QUELLE ÉTAIT CETTE FORME NOIRE SUR LA PLAGE ?!

10.

OCTAVE SE FROTTA LES YEUX UN BON COUP, MAIS LORSQU'IL LES ROUVRIT, ELLE ÉTAIT TOUJOURS LÀ ...

CE MYSTÈRE, AJOUTÉ À CELUI DE LA VOIX QU'IL AVAIT ENTENDUE DANS SON RÊVE ET QU'IL LUI AVAIT SEMBLÉ ENTENDRE ENCORE ALORS QU'IL ÉTAIT RÉVEILLÉ, DEVAIT ÊTRE ÉCLAIRCI ...

... IMMÉDIATEMENT !

LA PETITE LAMPE D'OCTAVE N'ÉTAIT PAS VRAIMENT NÉCESSAIRE.

11.

IL CONNAISSAIT LE CHEMIN PAR CŒUR ET LA LUNE ÉCLAIRAIT LE SENTIER.

MAIS ELLE LE RASSURAIT ...

OCTAVE N'EN CROYAIT PAS SES YEUX...

LA CHOSE QUI SE DRESSAIT DEVANT LUI N'ÉTAIT AUTRE QU'UN CACHALOT.

UN GRAND, UN TRÈS GRAND, UN ÉNORME, UN GIGANTESQUE CACHALOT !!!

12.

13.

Woum
woum...

Moi visqueux?!
Non mais dis
donc!!!

LA VOIX DU CACHALOT
ÉTAIT TERRIBLE.

ELLE ÉTAIT COMME
LA MER LORSQU'ELLE
SE FRACASSE SUR
LES ROCHERS.

COMME LE VENT HURLANT
PENDANT LES TEMPÊTES...

JE...
EXCUSEZ-MOI...
JE VOULAIS
PAS...

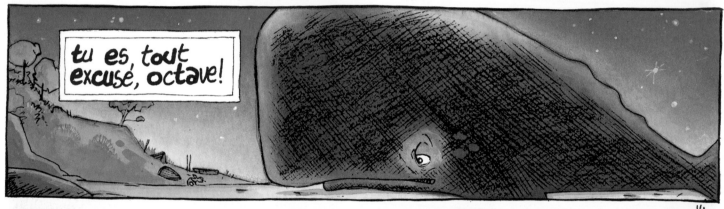

tu es, tout
excusé, octave!

14.

VOUS... VOUS ME
CONNAISSEZ?!

WoumWoum,
Bien sûr!!

c'est moi qui t'ai
appelé Dans ton
rêve...

J'ai besoin de ton aide Octave !!

M... moi ?!

Oui

Je me suis échoué sur cette plage et il faut que tu m'aides à repartir !!!

Mais... mais j'suis qu'un petit garçon ! Vous voulez pas que j'aille chercher quelqu'un ou...

15.

17

Une Grande Personne ? Non non non !!

Dis-moi, est-ce que ta maman te croirait si tu lui disais que tu viens de parler avec un grand cachalot ?!

BEN... EUH, NON... JE CROIS PAS...

tu vois ?!

Woum Woum !! Non, c'est toi qui dois m'aider !!!

il faut que je retourne à la mer avant demain matin, sinon j'ai bien peur qu'on me trouve et qu'on me coupe en rondelles !!!

EN RONDELLES, COMME UN SAUCISSON ?!

quelque chose comme ça ...

MAIS... QU'EST-CE QUE JE PEUX FAIRE ! JE SUIS QU'UN TOUT PETIT GARÇON ET...

16.

18

Allez octave! n'aie pas peur!!

J'AI PAS PEUR!

J'AI FROID!

ET JE...

!

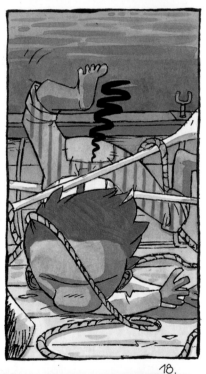

18.

IL EN FALLAIT DU COURAGE À OCTAVE POUR S'AVENTURER AINSI SUR CETTE MER QUI LUI FAISAIT SI PEUR DEPUIS QU'ELLE LUI AVAIT PRIS SON PAPA...

DEPUIS CE JOUR, LE PETIT GARÇON DÉTESTAIT LA MER, ET LA SIMPLE IDÉE DE TREMPER UN ORTEIL DANS SON EAU TOUTE SALÉE LE FAISAIT FRISSONNER DE LA TÊTE AUX PIEDS.

MAIS OCTAVE ÉTAIT COURAGEUX ET AVAIT DÉCIDÉ DE SAUVER LE GRAND CACHALOT.

ON NE L'AVAIT JAMAIS DÉCOUPÉ EN RONDELLES, MAIS IL ÉTAIT SÛR QUE C'ÉTAIT TRÈS DÉSAGRÉABLE ET VOULAIT ÉVITER CELA À SON NOUVEL AMI.

19.

LA MISSION QUE LUI AVAIT CONFIÉE LE GRAND CACHALOT ÉTAIT SIMPLE.

OCTAVE DEVAIT ALLER SUR LE ROCHER QU'ON APPELAIT KARREG AR POLPEGAN.

D'APRÈS LE GRAND CACHALOT, UN FARFADET VIVAIT BEL ET BIEN À CET ENDROIT.

CE QUI DU COUP EXPLIQUAIT POURQUOI ON L'APPELAIT COMME ÇA ...

MAIS LA NUIT QU'IL ÉTAIT EN TRAIN DE VIVRE ÉTAIT TELLEMENT ÉTRANGE...

ET SEUL CE FARFADET POUVAIT SAUVER LE CACHALOT CAR IL COMMANDAIT LA MER...

TRÈS FRANCHEMENT, OCTAVE NE CROYAIT PAS VRAIMENT À CETTE HISTOIRE.

... QUE TOUT ÉTAIT POSSIBLE.

FARFADET!!

OH HÉ! MONSIEUR!

?

ZWOUF

21.

EUH,,,
BONJOUR,,,

JE,,, JE
M'APPELLE
OCTAVE ET JE,,,

VOUS VOYEZ LE
CACHALOT SUR
LA PLAGE, LÀ-BAS?

C'EST LUI QUI M'A
DIT DE VENIR VOUS
TROUVER. C'EST PARCE
QU'IL S'EST ÉCHOUÉ
ET IL FAUT LE SAUVER
ET TOUT ÇA !!

ENFIN,,,
VOILÀ, QUOI,,,

23.

OH NON!

LA BARQUE!!

VITE
VITE
VITE

24.

LA SIMPLE IDÉE DE RESTER COINCÉ SUR CE ROCHER AU MILIEU DE L'EAU TERRIFIAIT OCTAVE.

AUTANT SINON PLUS QUE LA TERRIBLE PUNITION DONT IL ÉCOPERAIT QUAND ON LE DÉCOUVRIRAIT. SI BIEN QU'IL EN OUBLIA TOTALEMENT SA PEUR DE L'EAU...

...ENFIN, PRESQUE.

MAIS, QU'EST-CE QUE JE FAIS?!

JE... JE ME... JE ME **NOIE**!!

AU SECOURS!

AU SECOURS!

À L'AIDE!!

26.

EH BIEN... JE...

JE... EST-C'QUE... EST-C'QUE VOUS POUVEZ M'APPRENDRE À NAGER ?!

À nager ? Woum... c'est ce que tu veux ?!

BEN HEU... OUI...

Woum Woum !! Rien de plus facile, Octave !!

QUELLE DRÔLE DE LEÇON DE NATATION - ET QUEL DRÔLE DE MONITEUR !!!

27.

29

C'ÉTAIT UN MOMENT MAGIQUE POUR OCTAVE.

LE PETIT GARÇON AURAIT VOULU QUE ÇA NE S'ARRÊTE JAMAIS.

MAIS BIENTÔT, LA LUNE DISPARUT À L'HORIZON.

ET DE L'AUTRE CÔTÉ DE LA MER, LE CIEL COMMENÇA À SE TEINTER DE ROSE ET DE JAUNE.

IL FAUT QUE JE RENTRE AVANT QUE MAMAN SE RÉVEILLE !!

Je vais t'aider !!

POK!

BON ,,, BEN ,,, AU REVOIR, ALORS ,,,

Woum woum!! Au Revoir Octave et merci Pour tout!!

DE RIEN ,,, AU REVOIR ,,,

OCTAVE ATTENDIT ENCORE QUELQUES MINUTES ,,,

29.

,,, MAIS SON AMI NE REPARUT PAS.

À PARTIR DE CE JOUR, OCTAVE ALLA SE BAIGNER TOUS LES JOURS À LA PLAGE QUE, POUR LUI-MÊME, IL APPELAIT "LA PLAGE DU CACHALOT".

ET CHAQUE FOIS, IL ESPÉRA REVOIR SON GIGANTESQUE AMI ,,, ,,, MAIS IL NE REVINT JAMAIS.

ENFIN, PAS TOUT À FAIT ,,,

CAR UN SOIR, TANDIS QUE LE SOLEIL SE COUCHAIT À L'HORIZON ET QU'OCTAVE REGARDAIT LA PLAGE PAR SA FENÊTRE ,,,

30.

CHauvel .Alfred